PREMIO
AMANUENSE

CORAZÓN DE MARIMBA

Jaime Gamboa y Elissambura

AMANUENSE®

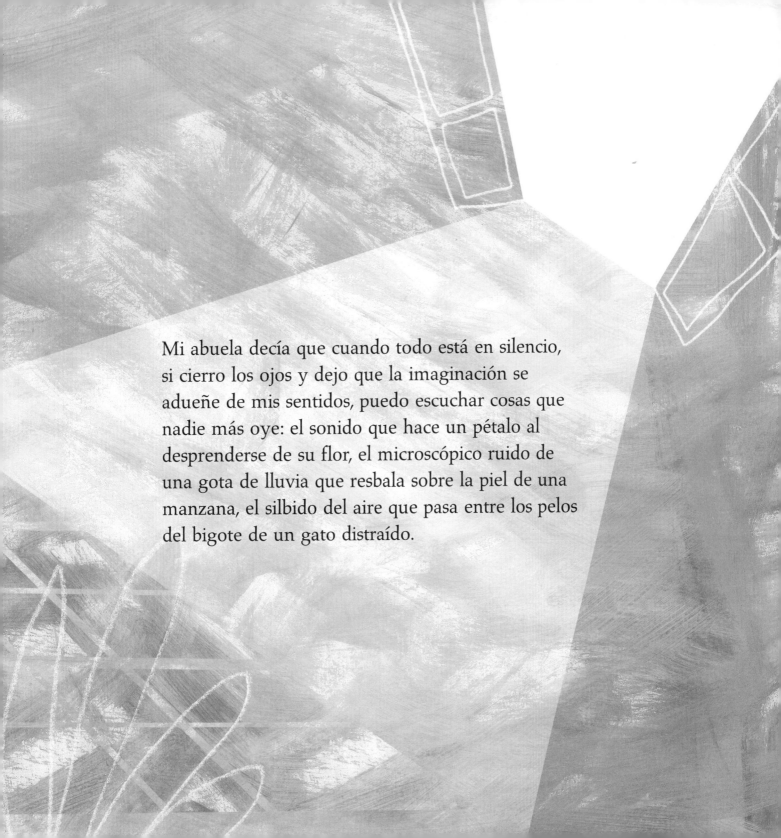

Mi abuela decía que cuando todo está en silencio,
si cierro los ojos y dejo que la imaginación se
adueñe de mis sentidos, puedo escuchar cosas que
nadie más oye: el sonido que hace un pétalo al
desprenderse de su flor, el microscópico ruido de
una gota de lluvia que resbala sobre la piel de una
manzana, el silbido del aire que pasa entre los pelos
del bigote de un gato distraído.

Una tarde, al regresar de la escuela, hice la prueba.

Apagué el televisor, abrí la ventana que da a la calle y me senté en mi cama con los ojos bien cerrados, tratando de hacer menos ruido que una nube de vacaciones.

Pronto mis oídos comenzaron a viajar por cada rincón de la casa.

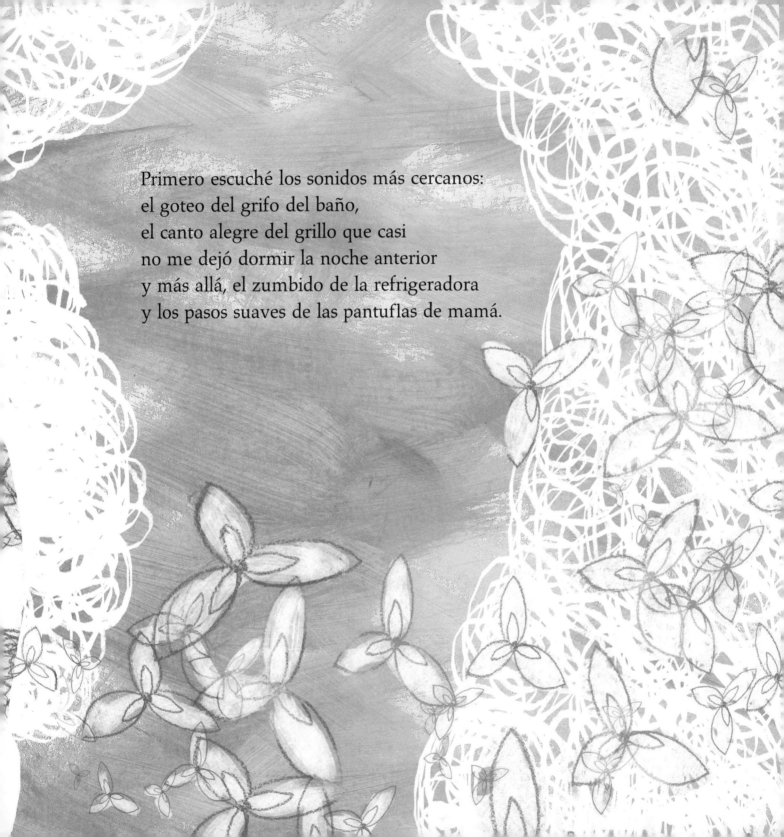

Primero escuché los sonidos más cercanos:
el goteo del grifo del baño,
el canto alegre del grillo que casi
no me dejó dormir la noche anterior
y más allá, el zumbido de la refrigeradora
y los pasos suaves de las pantuflas de mamá.

Llevada por mis oídos, me fui alejando: escuché
los motores de los autos en la calle y pasé con cuidado
cerca del verdulero que pesaba dos chayotes en la
balanza, los ponía en una bolsa de papel y le daba
el cambio en monedas a una señora, mientras le
recomendaba comerlos solo con sal.

"Es muy divertido viajar así, porque nadie me ve", pensé.

De pronto, a lo lejos, escuché el trino de una marimba.
Me llamó mucho la atención, porque en mi ciudad ya
muy pocos la tocan.

Bien concentrada, traté de averiguar de dónde venía la
música. Mis oídos doblaron la esquina, pasaron a través
de la estela que dejaba la sirena de una ambulancia y
se detuvieron ante una puerta grande y silenciosa:
la del hospital infantil.

"No creo que haya una marimba allí dentro",
dudé, pero de nuevo, desde el fondo del hospital,
me llegó la música clara y brillante.

Calladita, llevada por mis oídos, recorrí los pasillos.
Entré a una sala donde varios niños jugaban a las
adivinanzas:

—¿De qué color es el caballo blanco de Napoleón?
—preguntó uno de ellos.

Susurré la respuesta, pero nadie me oyó.

Seguí por escaleras, salones y habitaciones
donde niños y niñas reposaban o jugaban,
esperando curarse para volver a correr
felices por las plazas de sus pueblos.

Al llegar al último pasillo, mis oídos
me guiaron a un cuarto pequeño;
un niño estaba sentado en la cama.

—Hola —dije sin saber por qué.

Entonces ocurrió algo asombroso.

—¿Quién anda ahí? —dijo el niño.

—Soy Amanda. ¿Cómo logras escucharme
si estoy tan lejos? —contesté.

—Soy Miguel y yo también estoy
viajando con mis oídos… Hasta puedo
escuchar el reloj de tu cuarto que suena
muy fuerte.

—Es mi primera vez —dije—. Llegué hasta ti siguiendo el sonido de tu marimba.

—Me dejaron traerla porque voy a estar mucho tiempo aquí. Dicen que mi corazón está cansado, ¿puedes creerlo? Estoy esperando que me pongan un corazón nuevo —me contó Miguel.

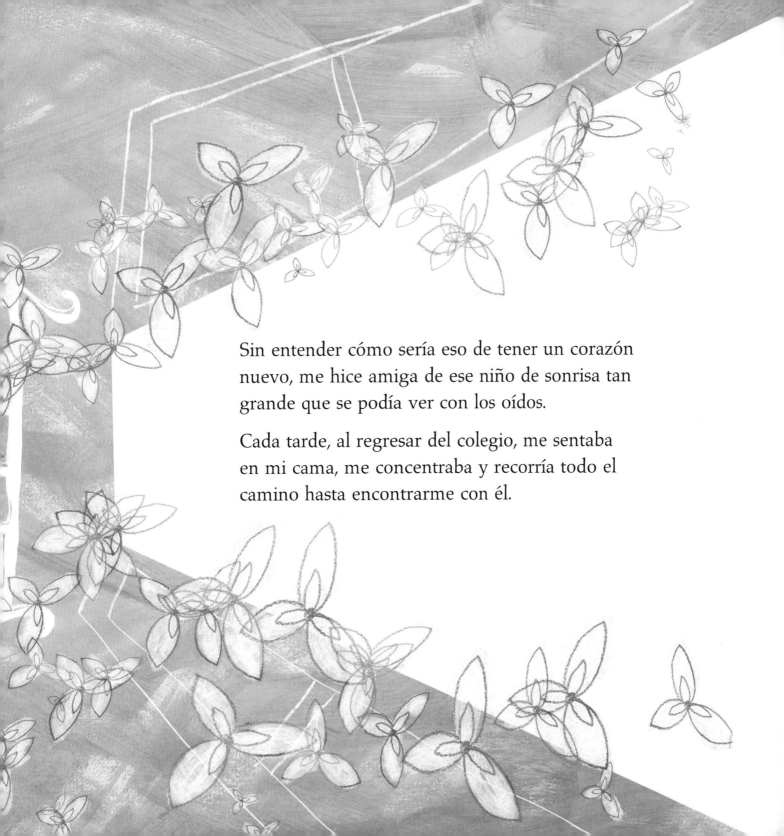

Sin entender cómo sería eso de tener un corazón
nuevo, me hice amiga de ese niño de sonrisa tan
grande que se podía ver con los oídos.

Cada tarde, al regresar del colegio, me sentaba
en mi cama, me concentraba y recorría todo el
camino hasta encontrarme con él.

Sé que Miguel, por su parte, me esperaba en silencio y siempre, antes de hablar de cualquier cosa, tocaba una pieza con su marimba para alegrarme. Así lo hicimos todos los días, por semanas y meses.

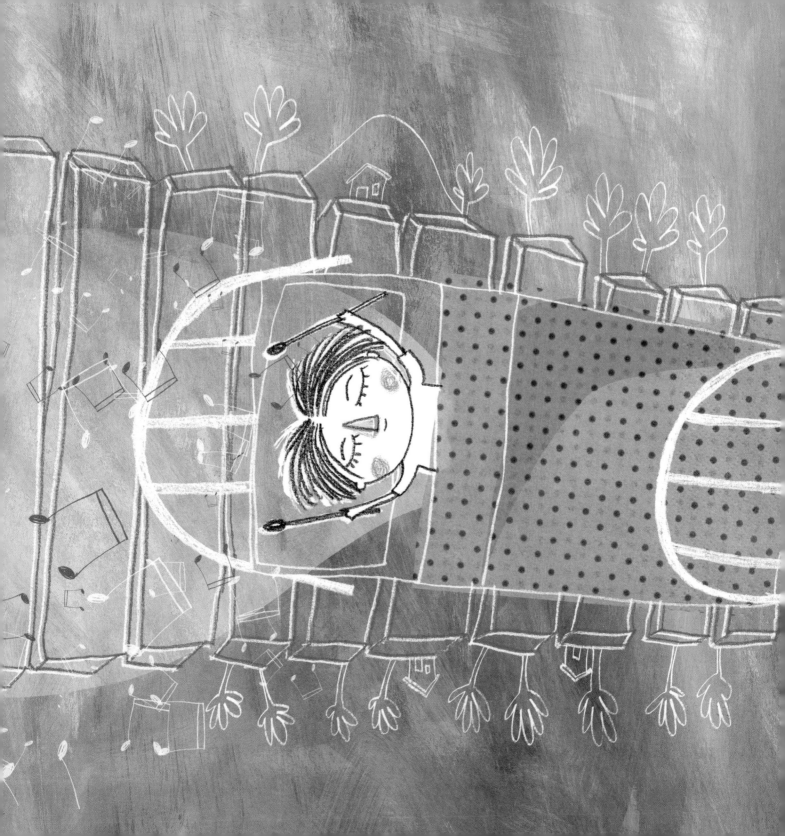

Pero un día no lo encontré en su cuarto.

Se hizo la noche y llegó el otro día y la tarde
y otra tarde más, y Miguel siguió sin regresar.

Poco después, su cama fue ocupada por otro niño.

¿Qué habría pasado? ¿Encontrarían un corazón
para él?

Pasé muchas tardes y noches recorriendo con mis
oídos todo el hospital, pero no escuché nada que
me diera una pista.

A veces quería llorar, pero prefería creer
que Miguel estaba bien, que había
regresado a su pueblo en las altas sierras.

Varios meses después, con mucha tristeza,
decidí dejar de buscarlo.

"Creo que no volveré a escucharlo nunca
más", pensé ya sin esperanza... Y en ese
preciso instante, me pareció oír el repique
de su marimba.

Corrí a mi cuarto tropezando con el gato,
intenté no distraerme con el sonido de
mi hermanito cepillándose los dientes,
crucé por encima del ruido de la escoba
de la vecina...

Salté sobre el ronco redoble de las motocicletas, esquivé los pitazos del oficial de tránsito y del árbitro que marcaba un penal en el estadio a cinco cuadras de mi casa. Hui de los gritos de la gradería popular, del golpe atronador de la tormenta y de las inmensas nubes negras que cubrían la ciudad.

Mis oídos viajaron esta vez más lejos
que nunca: atravesaron ríos y selvas,
valles y montañas, ranchos, plazas,
sembradíos y escuelas.

Entonces comencé a escuchar una marimba,
y luego otra, y pronto fue el clamor
de cientos de marimbas que repicaban
dulcemente, tocando tonadas distintas.

Y el sonido de todas las marimbas resonó
en el cielo como el latido de un corazón.

Jaime Gamboa

Autor de cuentos y canciones, Jaime tiene un
talento especial para abordar temas sensibles, sin
perder el carácter literario. La belleza de sus textos
le ha merecido el aplauso de muchos seguidores
en América, Asia y Europa.
Además de *Corazón de Marimba*, Jaime ha
publicado con Amanuense: *La risa contagiosa,
Alma del mar* y *El cuento fantasma*, este último
premiado por la Fundación Cuatrogatos e incluido
como caso de estudio en el proyecto *Reading the
Way* (*Outside In World*, Reino Unido), dedicado a
investigar libros inclusivos y accesibles para niños.

Elissambura

De pequeña quiso ser veterinaria, tener un zoo
y vivir leyendo. Luego de pasar por la biología e
intentarlo con las letras, encontró en la ilustración la
mezcla exacta entre animales, investigación, fantasía
e historias. Entonces estudió y se hizo Ilustradora
Profesional en la Escuela Superior de Artes Visuales
Martín Malharro (Mar del Plata, Argentina).
Su trabajo consiste en contar historias, crear
personajes y poner imágenes donde sea necesario.
Lo mejor de su profesión: aprovechar la magia de
las ilustraciones para llegar donde las palabras solas
no pueden y hacer visible la imaginación.

Publicado por: Amanuense
editorial@grupo-amanuense.com
www.grupo-amanuense.com

ISBN: 978-9929-633-44-5

Segunda edición 2017
Corazón de marimba
Texto: ©Jaime Gamboa
Ilustraciones: ©Elissambura

Cualquier solicitud de derechos podrá hacerse a:
literaria@grupo-amanuense.com

Impreso en China
Printed in China